Nicolò Paganini

ALLA SPAGNOLA

per violino solo | *for solo violin*

A cura di | *Edited by* Italo Vescovo

RICORDI

Traduzione di | *Translation by* Avery Gosfield

NR 142147
ISMN 979-0-041-42147-6

INTRODUZIONE

La composizione autografa intitolata *Alla spagnola* è una pagina di breve respiro simile per dimensioni ad altri piccoli brani intitolati «capricci» che in più di un'occasione Paganini ha donato ad amici, colleghi e personalità incontrate nei suoi viaggi, un brano in cui non è difficile scorgere lo spirito del grande musicista genovese delle piccole composizioni.[1]

La pubblicazione di questa gustosa pagina, oltre ad arricchire il significativo e variegato *corpus* di brani per violino solo,[2] documenta una curiosa prassi compositiva di Paganini, ossia quella di appuntare idee musicali (schizzi, abbozzi) dove trovava spazio, su fogli sciolti piuttosto che su carte assemblate assieme ad altre composizioni, come documenta, per esempio, il manoscritto catalogato «Ms.Cas.5630» custodito presso la Biblioteca Casanatense di Roma, che comprende, tra gli altri, il brano qui proposto, o a margine di composizioni dall'organico diverso, come, ad esempio, i quattro *Valtz* per violino scritti all'interno dei *Ghiribizzi* (M.S. 43) per chitarra. A volte questi "appunti musicali" sono brevi frasi musicali di sole quattro misure, altre volte sono vere e proprie miniature di otto o sedici misure con o senza ritornello.

Chi scrive, indagando sui manoscritti paganiniani, ha recuperato alcune pagine interessanti come i 2 *Duetti in forma di canone* per due violini,[3] classificati nel *Catalogo tematico* tra gli «Schizzi e abbozzi» (p. 323) ma che in realtà risultano completi.

Il brano *Alla spagnola* si trova nel manoscritto autografo sopra citato (una carta singola con 12 pentagrammi, 22 × 30 cm, senza filigrana) che comprende tre altri brani completi, seppure allo stato di abbozzo: un *Minuetto e Trio* per violino e viola sul *recto* e un *Minuetto* per chitarra seguito da un *Trio* per viola e

1. Un esempio per tutti: *Capriccio per violino solo* M.S. 54, datato Vienna 9 agosto 1828, dedicato al Conte Maurizio Dietrichstein.

2. Per il catalogo completo delle composizioni di Paganini (cui si riferisce la sigla M.S.) si vedano: Maria Rosa Moretti e Anna Sorrento, *Catalogo tematico delle musiche di Niccolò Paganini*. Genova, Comune di Genova, 1982; *Catalogo tematico delle musiche di Niccolò Paganini. Aggiornamento*, Associazione Culturale Musica con le Ali, 2018.

3. Nicolò Paganini, 2 *Duetti in forma di canone*, per due violini, edizione condotta sugli autografi a cura di Italo Vescovo, Bologna, Ut Orpheus, 2018.

INTRODUCTION

The autograph composition entitled *Alla spagnola* is a fleeting piece, similar, in its size, to other small works that Paganini called "capricci" that he gave, on more than one occasion, to friends, colleagues and other figures he encountered during his travels: a piece which gives us a clear sense of the spirit of the Genoese master of brief compositions.[1]

The publication of this pleasant piece, in addition to enriching an already significant and varied body of pieces for solo violin,[2] demonstrates a curious compositional practice of Paganini, namely that of jotting down his musical ideas with sketches or drafts wherever he could find space: on loose sheets of paper or next to other compositions, as can be seen, for example, in the manuscript Ms.Cas. 5630 held in the Casanatense Library in Rome which includes, among others, the work published here, as well as other ones squeezed in or around other pieces, like the four *Waltzes* for violin that are written inside his *Ghiribizzi* (M.S. 43) for guitar. Some of these "musical jottings" are brief phrases that last only four measures, while others are real and proper miniatures, lasting eight or sixteen measures, some with and some without refrain.

This writer has come across a few interesting compositions while examining some of Paganini's manuscripts: for example the 2 *Duetti in forma di canone* for two violins,[3] classified in the *Catalogo tematico* as one of his "sketches and drafts" (p. 323), which are, in reality, complete pieces.

The piece entitled *Alla spagnola* is found in the aforementioned autograph manuscript (a single page containing 12 staves, 22 × 30 cm, without watermark) which also includes three other complete pieces, al-

1. A perfect example is his *Capriccio per violino solo* M.S. 54, dated Vienna, August 8 1828 and dedicated to Count Maurizio Dietrichstein.

2. For the complete catalogue of Paganini's compositions (the reference used here for all manuscript indications) see: Maria Rosa Moretti and Anna Sorrento, *Catalogo tematico delle musiche di Niccolò Paganini*. Genova, Comune di Genova, 1982; *Catalogo tematico delle musiche di Niccolò Paganini. Aggiornamento*, Associazione Culturale Musica con le Ali, 2018.

3. Nicolò Paganini, 2 *Duetti in forma di canone*, for two violins, edition based on the composer's autographs, edited by Italo Vescovo, Bologna, Ut Orpheus, 2018.

basso (violoncello) sul *verso*.[4] Proprio alla fine di questa composizione figura il breve brano per violino solo (l'indicazione dello strumento manca, ma è evidente la sua destinazione strumentale), vergato con l'abituale velocità di mano e collocato in uno spazio ridotto, su due pentagrammi.

In forma tripartita A-B-A (considerando il *Da Capo* qui esplicitato), si compone di sole sedici misure divise in due periodi di otto, con ritornelli. *Alla spagnola* corrisponde parzialmente al *Minuetto* (Allegretto mosso), parte di violino, del *Quartetto n. 12* per violino, viola, violoncello e chitarra (M.S. 39), anch'esso in La minore: le trentadue misure iniziali, che costituiscono la prima parte del *Minuetto* e corrispondono, sia pure con alcune significative differenze testuali, alle sedici battute ritornellate del brano qui proposto. Il fatto che le due composizioni rechino un titolo diverso e abbiano differente struttura e ampiezza (il *Minuetto* consta di 733 misure) fa supporre che *Alla spagnola* sia da considerare come brano autonomo e non una sorta di studio preparatorio. L'ipotesi più plausibile è quella che Paganini, in un secondo momento, lo abbia ripreso e sviluppato per collocarlo in un contesto più ampio ed elaborato, come fece, ad esempio, per il *Valtz* del *Cantabile a Minuetto e Valtz* (M.S. 126)[5] per violino e chitarra, che notevolmente sviluppato e ampliato, divenne il *Rondò*, movimento finale del *Quinto concerto* per violino e orchestra (M.S. 78).

Nel pubblicarlo si è preferito non aggiungere alcuna indicazione dinamica al fine di lasciare all'interprete la piena libertà di scelta. I pochi interventi redazionali recano l'uso di parentesi quadre e di legature tratteggiate.

beit in draft state: the *Minuetto e Trio* for violin and viola on the recto side, and a *Minuetto* for guitar followed by a *Trio* for viola and bass (cello) on its back.[4] Right after the end of this composition, we find a short piece for solo violin (which was clearly meant for that instrument, despite its lack of indication), penned with the usual haste on two staves crammed into a small space.

In tripartate form, A-B-A if we follow Paganini's *Da Capo* indications (which have been fully written out in this score), it is made up of just sixteen measures, divided into phrases of eight, with refrains. *Alla spagnola* shares some material with the violin part of the *Minuetto* (Allegretto mosso) from Paganini's *Quartetto n. 12* for violin, viola, cello and guitar (M.S. 39), also in A minor: the first thirty-two measures, which make up the first part of the *Minuetto* correspond, albeit with some significant compositional differences, to the sixteen bars of the piece published here.

The fact that the two compositions bear different titles, and have different structures and lengths (the *Minuetto* is 733 measures long) suggests that Paganini's *Alla spagnola* should be considered as an independent work rather than some sort of preparatory study. The most plausible hypothesis is that, at a later point, Paganini took the piece up again and expanded it in order to place it in a wider and more elaborate context, as he did, for example, with the Waltz from his *Cantabile a Minuetto e Valtz* (M.S. 126)[5] for violin and guitar, which, after being greatly developed and expanded, became the *Rondò*, the final movement of his *Quinto concerto* for violin and orchestra (M.S. 78).

The choice was made not to add any dynamics to this publication, in order to leave full freedom of choice to the performer. The few editorial additions are indicated by square brackets and dotted slurs.

---

4. Il *Minuetto* in Re maggiore per chitarra (trentasei battute) corrisponde, pur con piccole differenze, alle prime trentasei misure del *Minuetto* del *Terzetto concertante* per viola, violoncello e chitarra M.S. 114; il *Trio* in Sol maggiore si collega invece alle misure iniziali del *Trio (Minuetto)* dello stesso *Terzetto concertante*.

5. Nicolò Paganini, *Sei cantabili e valtz* per violino e chitarra dedicati a Camillo Sivori, M.S. 124-129, edizione critica a cura di Italo Vescovo e Flavio Menardi Noguera, Milano, Suvini Zerboni, 2009.

4. The *Minuetto* in D Major for guitar (which is thirty-six bars long) corresponds (even if there are a few small differences) to the first thirty-six bars of the *Minuetto* of the *Terzetto concertante* for viola, cello and guitar M.S. 114; while the *Trio* in G Major is related to the opening measures of the *Trio (Minuetto)* of the same *Terzetto concertante*.

5. Nicolò Paganini, *Sei cantabili e valtz* for violin and guitar dedicated to Camillo Sivori, M.S. 124-129, critical edition by Italo Vescovo and Flavio Menardi Noguera, Milano, Suvini Zerboni, 2009.

Nicolò Paganini

ALLA SPAGNOLA

VIOLINO E PIANOFORTE

Composizioni staccate di autori classici e romantici

129845 ALBINONI-GIAZOTTO. *Adagio in sol min.*, per archi e organo (F. Bellezza)
129413 AUTORE IGNOTO. *Larghetto* (D'Ambrosio)
127923 BACH J. S. *Aria sulla 4ª corda* (dalla Suite in re per archi) (Wilhelmj-Corti)
127917   *Largo* (dalla Cantata: Gottes Zeit ist die allerbeste Zeit) (Actus tragicus) (Janigro)
 31866 BAZZINI. *Elégie*, op. 35 n. 1
128848   *La Ronde des lutins* (La ridda dei folletti). Scherzo fantastico, op. 25 (Polo)
127749 BEETHOVEN. *Minuetto in sol*
128088 BRAHMS. *Danza ungherese*, n. 5 (Abbado)
128000   *Ninna nanna*, op. 49 n. 4 (Petroni)
127895 CHOPIN. *Notturno*, op. 9 n. 2 (Wilhelmj-Corti)
129414   *Notturno*, op. 15 n. 1 (D'Ambrosio)
128556   *Notturno in do diesis min.* (op. extra) (Poltronieri)
129415   *Preludio*, op. 28 n. 12 (D'Ambrosio)
128571 COLOMBI. *Ciaccona*, per violino e basso continuo. Realizzazione di E. Orlandi. Revisione
        di G. Roncaglia
107917 DE BÉRIOT. *Fantasie ou scène de ballet*, op. 100
129410 FIORILLO. *Capriccio in re* (D'Ambrosio)
127972 HAENDEL. *Largo* (Polo)
128089 LISZT. *Sogni d'amore* (Liebesträume). Notturno n. 3
129412 MILANDRE. *Minuetto* (D'Ambrosio)
128441 MOZART. *Minuetto in re* (dal Divertimento in re) (Polo)
128706 PAGANINI. *La Campanella*, op. 7 (n. 2 postuma). Rondò dal 2º Concerto in si min. **(Kreisler)**
127729   *Il Carnevale di Venezia*. 7 Variazioni scelte (Campanini)
128646   *Moto perpetuo*, op. 11 (n. 6 postuma) (Kreisler)
128063   (Tagliacozzo)
 36588   *Sonata XII*, op. 3 n. 6 (Alard)
129411 PORPORA. *Presto* (D'Ambrosio)
119233 RACHMANINOV. *Melodia*, op. 3 n. 3 (D'Ambrosio)
119234   *Serenata*, op. 3 n. 5 (D'Ambrosio)
128628 RAFF. *Cavatina*
127836 SCHUBERT. *Ninna nanna* (Wiegenlied) op. 98 n. 2
 43336   *Serenata* (Alard)
 54914 SIMONETTI. *Madrigale*
128856 TARTINI. *Didone abbandonata*. Sonata in sol min., op. 1 n. 10 (Polo)
128877 TENAGLIA. *Aria* (Polo)
130155 TORELLI. *Concerto in mi min.*, op. VIII n. 9 (Mi. Abbado)
129156 VIVALDI. *Concerto in do min.* («Il Sospetto») F. I n. 2 (Glenn)
129298   *Concerto in mi min.* F. I n. 7 (Ephrikian)
129590   *Concerto in do* («Per la S.S. Assunzione di Maria Vergine») F. I n. 13 (F. Bellezza)
129380   *Concerto in sol min.* F. I n. 16 (Ephrikian)
128888   *Concerto in mi* («La Primavera») F. I n. 22 (Soresina)
128889   *Concerto in sol min.* («L'Estate») F. I n. 23 (Soresina)
128890   *Concerto in fa* («L'Autunno») F. I n. 24 (Soresina)
128891   *Concerto in fa min.* («L'Inverno») F. I n. 25 (Soresina)
129381   *Concerto in re min.* F. I n. 28 (Ephrikian)
129591   *Concerto in re* F. I n. 45 (F. Bellezza)
129592   *Concerto in re* («Per la SS. Assunzione di Maria Vergine») F. I n. 62 (F. Bellezza)
129660   *Concerto in la* F. I n. 104 (F. Bellezza)
129773   *Concerto in re* F. I n. 116 (F. Bellezza)
130164   *Concerto in la min.*, op. III n. 6 (Mi. Abbado)
130165   *Concerto in do min.*, op. XI n. 5 (Mi. Abbado)
128437   *Sonata in re* (Respighi)
127771 WIENIAWSKI. *Leggenda* (De Guarnieri)
128797 ZANI. *7ª Sonata*, pour violon et basse continue (1727) (Cortot-Pochon)

RICORDI

Pezzi per violino solo di Nicolò Paganini | *Nicolò Paganini's Works for Solo Violin*

Edizioni critiche a cura di | *Critical Editions by*
Italo Vescovo

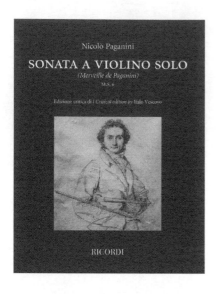

Sonata a violino solo
M.S. 6
pp. xv + 7

NR 141508

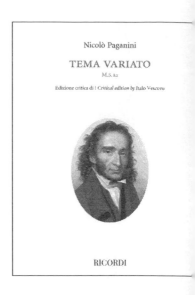

Tema variato
M.S. 82
pp. XII + 12

NR 141946

Caprice d'adieu
M.S. 68
pp. xv + 9

NR 141717

Capriccio per violino solo
M.S. 54
pp. XII + 3

NR 141999

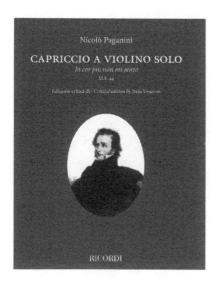

Capriccio a violino solo
"In cor più non mi sento"
M.S. 44
pp. XVI +23

NR 141831

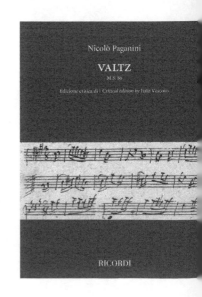

Valtz
M.S. 80
pp. XII + 12

NR 142000

EXCLUSIVELY DISTRIBUTED BY

HAL•LEONARD®

La composizione autografa intitolata *Alla spagnola* è una pagina di breve respiro simile per dimensioni ad altri piccoli brani intitolati «capricci» che in più di un'occasione Paganini ha donato ad amici, colleghi e personalità incontrate nei suoi viaggi, un brano in cui non è difficile scorgere lo spirito del grande musicista genovese delle piccole composizioni. La pubblicazione di questa gustosa pagina va ad arricchire il significativo e variegato *corpus* di brani per violino solo.

The autograph composition entitled Alla spagnola *is a fleeting piece, similar, in size, to other small works that Paganini called "capricci", that he gave, on more than one occasion, to friends, colleagues and other figures he encountered during his travels: a piece which gives us a clear sense of the spirit of the Genoese master of brief compositions. The publication of this pleasant piece will add to his significant and varied body of pieces for solo violin.*

ISMN 979-0-0414-2147-6

9 790041 421476

NR 14214700

ISBN-13: 978-1-70511-191-8

DISTRIBUTED BY
HAL LEONARD

50603580

8 40126 94046 6